“遗”脉相承，老祖宗的传家宝

传统体育、游艺与杂技

丛书主编　王文章
本书主编　杨　坤
绘　　图　孙　怡
封面设计　管小辉

中国大百科全书出版社

图书在版编目（CIP）数据

“遗”脉相承，老祖宗的传家宝．传统体育、游艺与杂技 /《“遗”脉相承，老祖宗的传家宝》编委会编．——北京：中国大百科全书出版社，2018.3

ISBN 978-7-5202-0229-9

Ⅰ．①遗… Ⅱ．①遗… Ⅲ．①中华文化—青少年读物②传统体育项目—中国—青少年读物 Ⅳ．①K203-49 ②G85-49

中国版本图书馆 CIP 数据核字（2018）第 008934 号

社　　长：刘国辉

选题策划：连淑霞　　丛书责编：余　会　　营销编辑：刘　嘉

责任编辑：李　静　　版式设计：张　磐　　责任印制：魏　婷

出版发行：中国大百科全书出版社　　http://www.ecph.com.cn

社　　址：北京阜成门北大街 17 号　　邮政编码：100037

印　　刷：北京顶佳世纪印刷有限公司

开　　本：889mm×1194mm　1/16　　印张：2　字数：30 千字

版　　次：2018 年 3 月第 1 版　　2018 年 3 月第 1 次印刷

ISBN 978-7-5202-0229-9　　定价：36.00 元

寄语

非物质文化遗产世代传承，与人们的日常生活紧密相连，很多都表现为人们的生活方式和生产方式。在现代化进程中，虽然人们的生活方式和生产方式都在改变，但这些文化遗产中寄寓的人类的智慧、精神、情感，仍然是我们徜徉的精神家园，也是我们文化创新和文化自信的重要根基。习近平主席强调坚持文化自信，强调立足中华优秀传统文化，培育和弘扬社会主义核心价值观。我们更应珍视中华民族优秀的非物质文化遗产，要以自觉意识参与保护，从而在珍视和保护中细雨入心，以文化人，坚定文化自信。

《“遗”脉相承，老祖宗的传家宝》儿童绘本的出版，正是从儿童抓起，为儿童提供认知非物质文化遗产的图文并茂、形象生动的读物，在他们幼小的心灵里播下中华民族世代相传的文化的种子，厚植民族文化的基因。

《“遗”脉相承，老祖宗的传家宝》注重从核心思想理念、中华传统美德、中华人文精神三个层面挖掘探求非物质文化遗产内涵，并全面展示我国具有代表性的非物质文化遗产的鲜明特征及其传承发展的社会和自然生态环境。难能可贵的是，绘本深入浅出，化繁为简，捕捉灵魂，将非物质文化遗产的知识体系融入生动细致的手绘插画之中，让孩子们阅读起来既汲取知识，又可感受审美意趣。相信它的出版，会为儿童阅读带来乐趣，也会为孩子们认知非遗价值，学习非遗知识，唤起保护意识起到良好作用。

王文章

2018年2月8日

目录

口技

“轰隆隆——”一声惊雷过后，豆大的雨点“啪啪”地洒落下来，串成雨幕“刷刷”作响；鸟儿“叽叽喳喳”乱飞，小动物逃窜着避雨去了。令人惊奇的是，这幕场景居然是口技表演者演绎出来的！

口技是表演者用口模仿各种声音，狮子咆哮、鹦鹉学舌、风雨雷电都是他们的拿手绝活。如果闭上眼睛仔细聆听，还真有种身临其境的感觉呢。

口技

历史

早在上古时期，原始人类就模仿鸟兽的声音诱捕猎物。到了唐宋时期，口技艺术兴盛，成为人们非常喜欢的艺术表演形式。发展到清代，口技表演者更是能以讲故事的方式，模仿多种声音。

申报时间：2009

申报类别：传统体育、游艺与杂技

申报地区：北京市

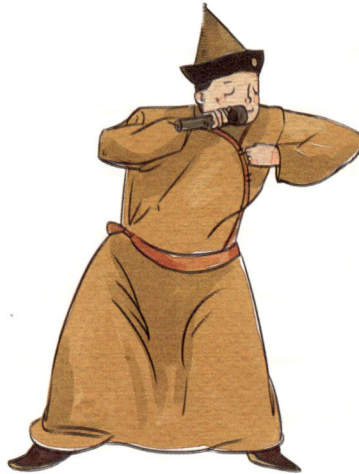

现状

20 世纪 50 年代后，口技的题材不断扩大，如风暴声、欢呼声、操练声、器乐声等，表演项目已发展到一百多种。

表演内容

* 家畜系列（马、羊、猪、牛、鸡、鸭、鹅等）
* 野生动物系列（百灵、鹦鹉、喜鹊、布谷鸟、虎豹、大象等）
* 战争题材（冲锋枪、机枪、火箭炮、飞机俯冲投弹等）
* 自然现象（打雷、流水、暴风雨等）
* 交通系列（火车、汽车、轮船、刹车等）
* 打击乐器题材（架子鼓等）

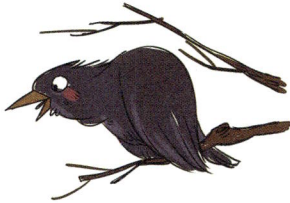

知识链接

清朝林嗣环曾写过散文《口技》：“……妇手拍儿声，口中呜声，儿含乳啼声，大儿初醒声，床声，夫叱大儿声，溺瓶中声，溺桶中声，一齐凑发，众妙毕备……”描写的就是精彩逼真的口技表演，里面表现了三个场面：一家四口人由梦而醒→由醒而梦→火起后众人的慌乱惶恐。文章赞扬了口技艺术的魅力和表演者高超的技艺。

公冶长懂鸟语

公冶长小时候家境贫困。一日，母亲病重，小公冶长独自一人上山打柴。山林寂寥空旷，他害怕得哭起来。小鸟们听见了，飞了过来。一只羽毛乌黑的鸟问：“你哭啥？”公冶长很好奇，问道：“你是什么鸟，怎么会说人话呢？”那鸟回答：“我叫八哥，生来就会说话。”公冶长心想：既然鸟能学人说话，那么人也能学鸟说话了。过了一会儿，小鸟们知道了小公冶长的遭遇后，都帮他拾柴，不一会儿，就堆成一座小山。八哥还叼来一串花生送给小公冶长，让他带回家给母亲治病。

公冶长非常感激，从此以后每天都到山上打柴，经常和这群鸟儿玩，学着鸟叫声。时间长了，小公冶长竟不知不觉学会了鸟语，听懂了鸟音，还能用口模仿鸟的声音。

赛龙舟

“鼓声三下红旗开，两龙跃出浮水来。”一首《竞渡歌》，把赛龙舟的场面刻画得热闹非凡。

赛龙舟是我国一项传统的游艺活动，相传是为了纪念屈原。因南方河湖丰富，所以每逢端午节人们会举办多场龙舟比赛。你有没有在现场观看过赛龙舟呢？十几米长的龙舟前方由各式各样的龙头引领，舟身画有斑驳的龙鳞，二十几人并列两排划桨，岸上锣鼓声、呐喊声汇成一片欢乐的海洋。

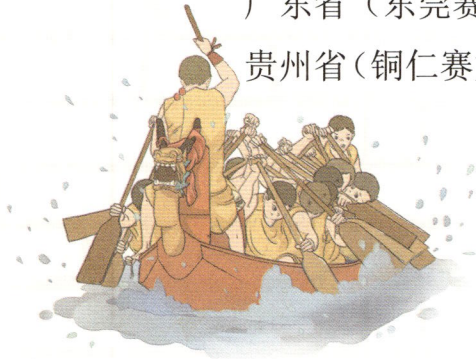

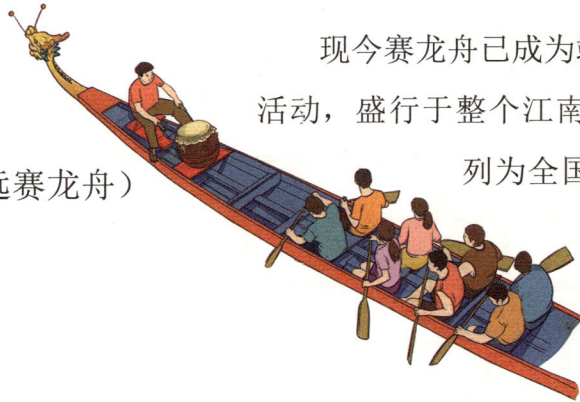

申报时间：2009

申报类别：传统体育、游艺与杂技

申报地区：湖南省（沅陵赛龙舟）
广东省（东莞赛龙舟）
贵州省（铜仁赛龙舟、镇远赛龙舟）

历史

赛龙舟流行于我国很多地区，但主要集中在水系发达的南方。最早的记载始于晋代，但各地说法不一。早期是祭祀中半宗教、半竞技的仪式活动。赛龙舟除了有纪念屈原的特殊含义，还被各地赋予了地方特色，但都体现了团结拼搏的奋斗精神。

现状

现今赛龙舟已成为端午节最有代表性的一项全民游乐活动，盛行于整个江南。1984 年，国家体委将龙舟竞渡列为全国正式比赛项目。1995 年 6 月，首届世界龙舟锦标赛在湖南省岳阳市南湖举行。

龙舟竞渡

沅陵赛龙舟　每只赛船48人。赛程长，赛船多，划手多，观众多，花样多。包括“偷料”“关头”“绕河”“绕庙”“赏红”“抢红”“冲滩”等。

东莞赛龙舟　每年农历四月初八到五月底，东莞人划龙舟，先龙舟水，趁龙舟景，吃龙舟饼，食龙舟饭，唱龙舟歌，称“龙舟月”。龙舟月的中心活动是竞渡。比赛时一声令下，数十艘龙舟如离弦之箭，水花飞溅，力争上游。沿岸观众呼声震天动地，称为“东莞龙舟第一景”。

铜仁赛龙舟　每年四五月间，天气回暖，各村各寨的村民便将搁置了一年的龙船“油”上桐油，画上“龙纹”，安上龙头，下水操练。端午正式比赛，包括祭龙船、点龙睛、龙船下水、龙舟竞技、抢鸭子、垂钓等。

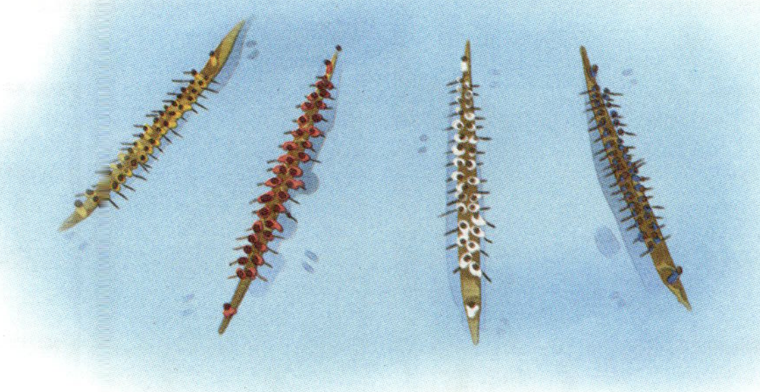

镇远赛龙舟　包括传统的祭龙仪式、舞龙舞狮游行、彩船游江、水中抢鸭子、放河灯、燃礼花和文艺表演等。

端午邮票

中国邮政于 2001 年的端午节发行的 2001-10《端午节》特种邮票，是第一套全面反映端午习俗的邮票。全套共 3 枚，以中国传统木刻版画构图，表现了“赛龙舟”“包粽子”“避五毒”3 项端午节最重要的民间习俗活动。

赛龙舟的传说

很久以前，西岸有一条又小又脏的水沟。一天，一个渔夫在水沟里捕到了一条小蛇。他无意中摸到它尾巴上的奇特鳞片，小蛇马上变成了一条小龙。原来，它是天上的神龙，因触犯天条被罚至人间，尾巴上还被加了九把锁——九片闪耀的龙鳞。渔夫的无心之举帮它打开了枷锁。小龙为了感谢渔夫，将栖身的小水沟变成了大河（也就是现在的西岸河），河水为西岸带来了勃勃生机。

为了纪念这条神龙，人们把沿河的村子称为龙头寨，并在神龙升天这天（也就是端午节）举行龙舟赛，以示庆贺。

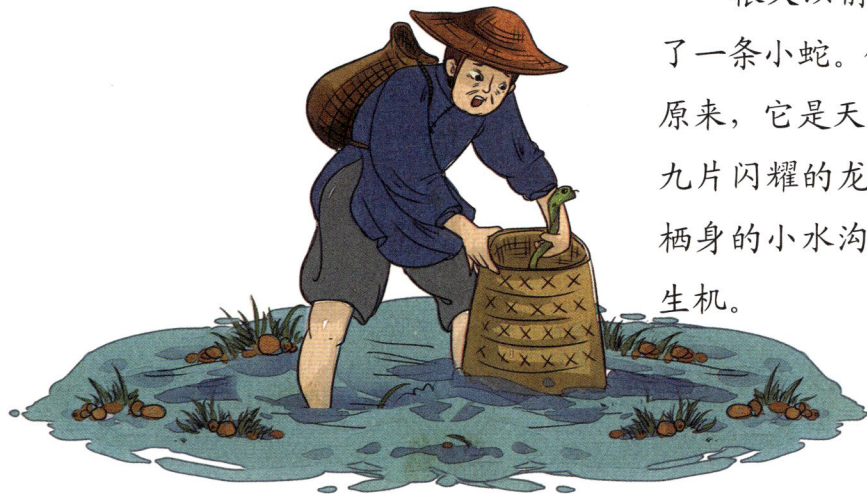

摔跤

如果你七八月份去内蒙古大草原旅行，可以看到当地人的摔跤比赛。他们通过这种体育、娱乐活动，在辽阔的草原上庆祝丰收，表达对美好生活的向往。

摔跤是我国最古老的体育项目之一，古代称为角力、角抵、争跤等。蒙古族、朝鲜族、维吾尔族及云南地区的彝、白、哈尼等少数民族地区发展出了不同形式的摔跤。

摔跤已有四千多年的历史。早在原始社会，就出现了简单的摔跤技术。那时部落间冲突不断，大家为求生存利用徒手搏斗，逐渐形成摔跤动作。后来，随着习武、健身、娱乐等形式的融入，摔跤演变成了一项人们喜爱的体育运动。

申报时间：2008

申报类别：传统体育、游艺与杂技

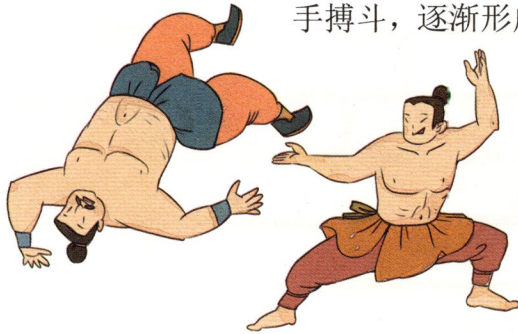

申报地区：北京市（天桥摔跤）

河北省（满族二贵摔跤）

内蒙古自治区（沙力搏尔式摔跤）

……

如今，摔跤已成为一项非常重要的竞技比赛项目，除了奥运会上有摔跤比赛，世界范围内也有多种名目的摔跤比赛。在我国，1953 年被列入国家体育运动竞赛项目，并举行了全国比赛。

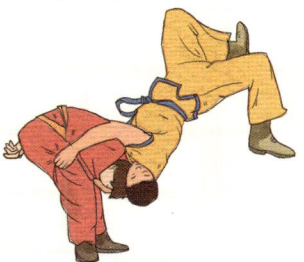

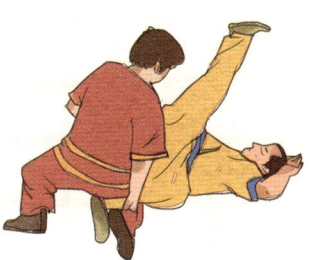

规则

＊不许抓握下肢，不许用腿使绊的站立摔跤，摔倒就停止。

＊可用腿使绊，但不许抓握下肢的站立摔跤。

＊可抓握下肢，也可用腿使绊的站立摔跤。

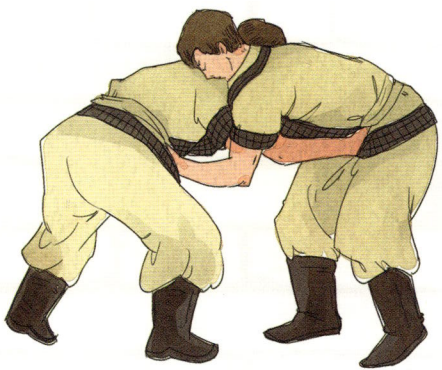

＊不许抓握下肢，不许用腿使绊的站立和跪撑摔跤，倒下后继续翻滚角斗。

＊可抓握下肢，也可用腿使绊的站立和跪撑摔跤。

＊可抓握下肢，可用腿使绊、可逼迫关节、可勒绞颈部使对方窒息的站立和跪撑摔跤。

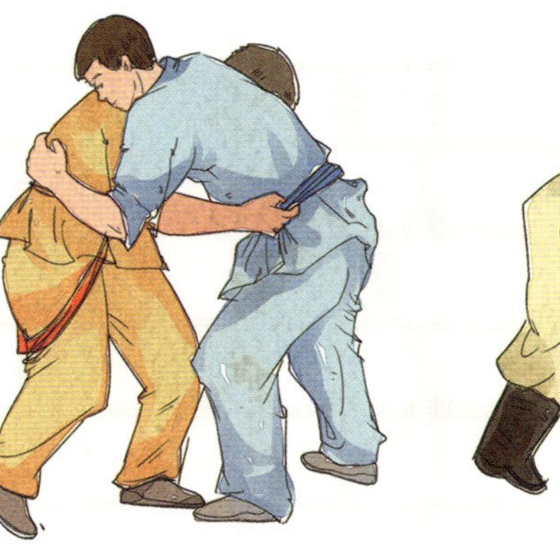

朝鲜族摔跤

蒙古族摔跤

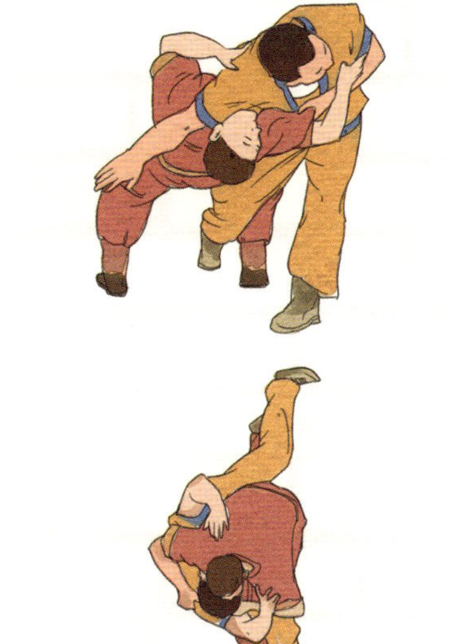

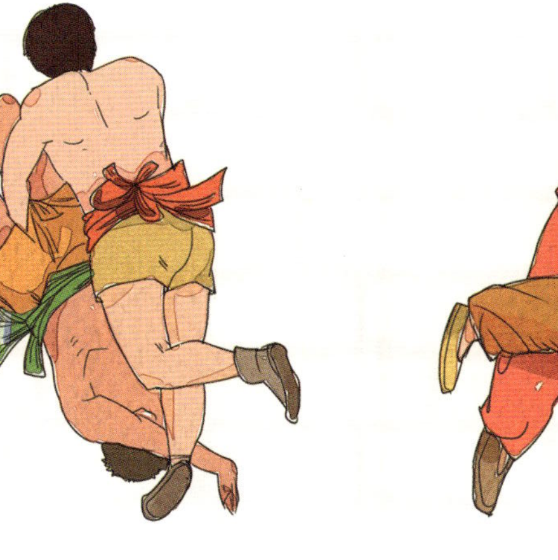

云南摔跤

中国式摔跤

那达慕

那达慕是蒙古族传统群众性盛会，一般在七八月份举行。摔跤是那达慕的重要项目，按蒙古族传统习俗，摔跤运动员不受地区、体重的限制，采用淘汰制，一跤定胜负。比赛前先推一族中的长者对参赛运动员进行编排和配对，蒙古长调《摔跤手歌》唱过 3 遍之后，摔跤手挥舞双臂、跳着鹰舞入场，向主席台行礼，顺时针旋转一圈，然后由裁判员发令，比赛双方握手致意后比赛开始，膝盖以上任何部位着地者为负，每个参赛运动员都有奖。

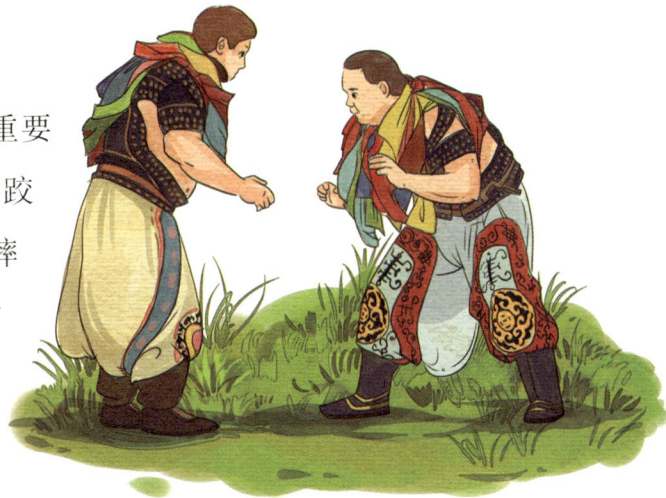

少年康熙擒鳌拜

传说康熙即位时，年方八岁。由于年幼，大权落入鳌拜之手。鳌拜独断专横，大有当年曹操“挟天子以令诸侯”之势。少年康熙非常生气，召集了一批身强力壮的少年，每日在御花园摔跤作乐。明为戏耍，暗为练兵！鳌拜也未留意。几年过后，这些跤手长大成人，个个体格健壮、武艺高强。康熙见时机成熟，便宣鳌拜进宫商议国事。鳌拜不知是计，像往常一样大摇大摆走上金殿。这时埋伏在周围的跤手们全体出动，一举将他拿下。

从此，康熙擒拿鳌拜的故事传遍天下，而众跤手也都成了康熙的贴身护卫。

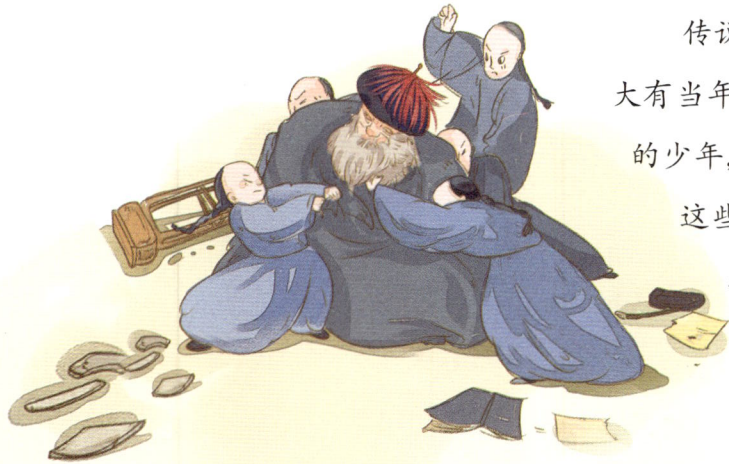

太极拳

很多武侠剧中，柔中带刚的太极拳总会令人称赞。在日常生活中，我们也会看到很多人练太极拳。他们凝神静气、动作圆润连贯。

乍看上去，太极拳动作轻松自如，但实际上它把中国传统辨证理念和武术、艺术、中医等完美结合，蕴含着深刻的哲学内涵。如果留意观察，你会发现太极拳的一招一式都渗透出刚柔并济、内外兼修的气质，这恰恰与中国传统文化一脉相承。

太极拳

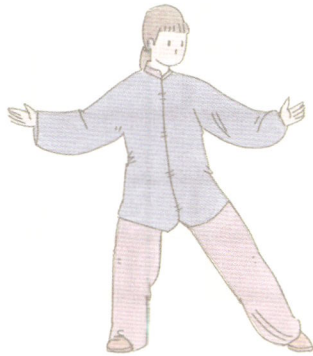

历史

太极拳始创于明末清初。据考证，最早流传于河南省温县陈家沟的陈姓家族中。清朝乾隆年间，山西民间武术家王宗岳写成《太极拳论》，从而太极拳的名称得以确定。清朝中后期至民国，太极拳广泛传播，出现了很多太极拳流派。

申报时间：2006

申报类别：传统体育、游艺与杂技

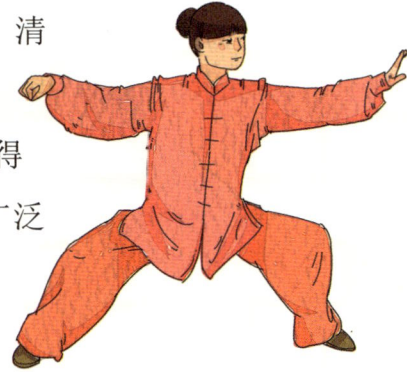

申报地区：河南省（陈氏太极拳）
河北省（杨氏太极拳、
武氏太极拳）

现状

如今，太极拳爱好者遍及全国。人们穿着宽松的功夫衫，在公园或山林间强身健体、修身养性。不仅如此，太极拳在欧美、东南亚、日本等国家和地区也备受欢迎。

练拳要领

* 静心用意，呼吸自然；
* 中正安舒，柔和缓慢；
* 动作弧形，圆活完整；
* 连贯协调，虚实分明；
* 轻灵沉着，刚柔相济。

十字手

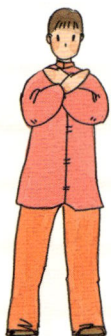

白鹤亮翅

24式简化太极拳

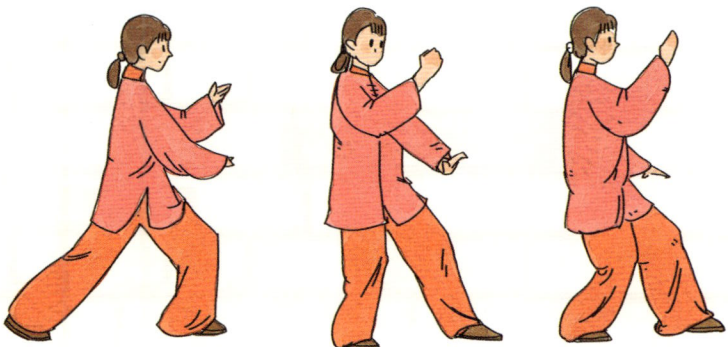

1. 起势　2. 左右野马分鬃　3. 白鹤亮翅　4. 左右搂膝拗步
5. 手挥琵琶　6. 左右倒卷肱　7. 左揽雀尾　8. 右揽雀尾
9. 单鞭　10. 云手　11. 单鞭　12. 高探马
13. 右蹬脚　14. 双峰贯耳　15. 转身左蹬脚　16. 左下势独立
17. 右下势独立　18. 左右穿梭　19. 海底针　20. 闪通背
21. 转身搬拦捶　22. 如封似闭　23. 十字手　24. 收势

太极拳创始人

陈王廷（1600 ~ 1680）

杨露禅（1800 ~ 1873）

武禹襄（1812 ~ 1880）

吴鉴泉（1870 ~ 1942）

孙禄堂（1861 ~ 1932）

杨班侯功夫轶事

杨班侯是杨氏太极拳祖师杨露禅的次子，他苦练太极拳艺，功夫炉火纯青，被称为“杨无敌”。

清光绪年间，杨班侯在端王府当太极拳教师。当时京城还有一名叫“雄县刘”的武师，精于技击，听说杨班侯被称为“杨无敌”，极不服气，便约杨班侯一比高下。几番较量之后，“雄县刘”远非杨班侯的对手。但他仍是不服，坚持约杨班侯改天再比。

到了比试这天，杨班侯来到约定地点，等候多时，却不见“雄县刘”前来践约。后来听说，“雄县刘”已与徒弟在前一天悄悄离京返家。自此，杨班侯的名声更响了。

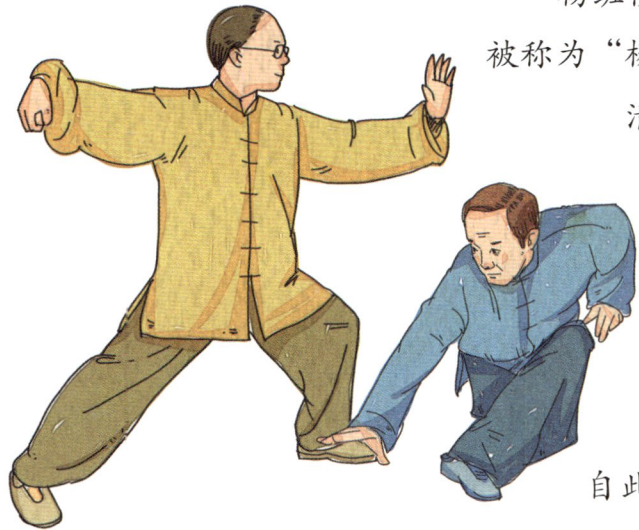

围棋

成语“举棋不定”形象地比喻了做选择时犹豫不决的样子，而这个成语最初的意思就是下棋时拿着棋子，不知下一步该怎么走。

围棋是世界上最古老的棋类游戏之一，起源于中国。黑、白两种棋子在方形的棋盘上博弈，拼的是下棋人的智慧和心态。下棋时要冷静沉稳，否则“一着不慎满盘皆输”。你会下围棋吗？下棋时有没有体会过“举棋不定”呢？

申报时间：2008

申报类别：传统体育、游艺与杂技

申报地区：中央（中国棋院）

北京市（北京棋院）

历史

围棋起源于中国。“琴棋书画”之“棋”，指的就是围棋。《论语》中提到了围棋游戏，《孟子》中也有对于围棋高手奕秋的记载。作为一种传统智力竞技游戏，围棋至今已有四千多年的历史。

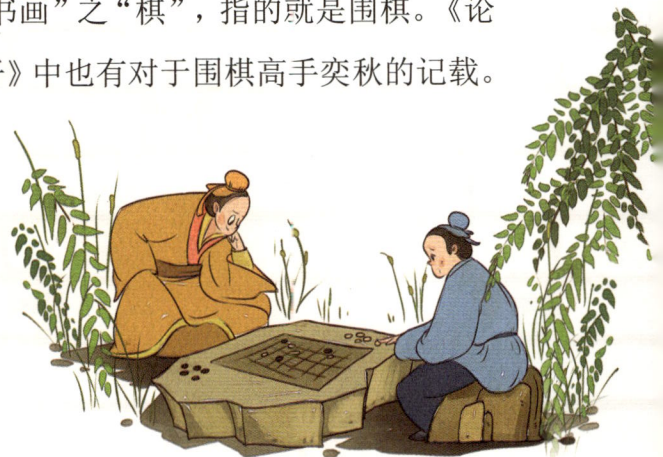

20 世纪 80 年代中期，在国家的大力扶植下，中国围棋文化研究事业达到高峰。但是当前，受现代经济与外来文化的冲击，中国围棋文化研究环境迅速恶化，急需国家采取措施挽救和保护。

用具

棋盘　由纵横各 19 条平行线组成的正方形，并形成 361 个交叉点。

棋子　黑白两种颜色，呈扁圆形，各 180 个。

标准比赛用桌　长 90 ～ 120 厘米，宽 46 ～ 50 厘米，高 65 ～ 70 厘米。

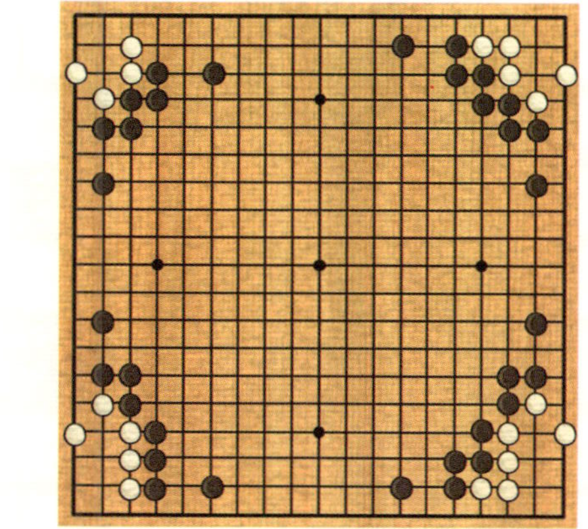

走棋与棋局

气　已经落在棋盘上的棋子，与它直线相邻的空白交叉点。

提子　把已经失去“气”的棋子清理出棋盘。

禁着点　棋盘上的任何一点，倘某一方在该点落子，所下的棋子立即呈现出无“气”状态，同时又不能提取对方的棋子，该点即为“禁着点”。

活棋与死棋　终局时，经双方确认，凡不能被对方提取的棋子即为活棋；能被对方提取的棋子则为死棋。

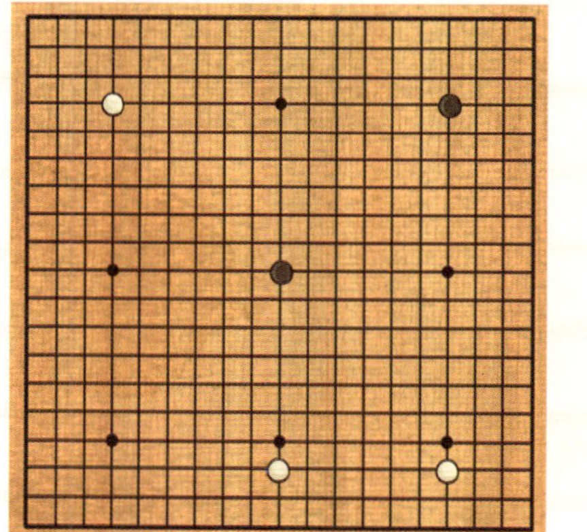

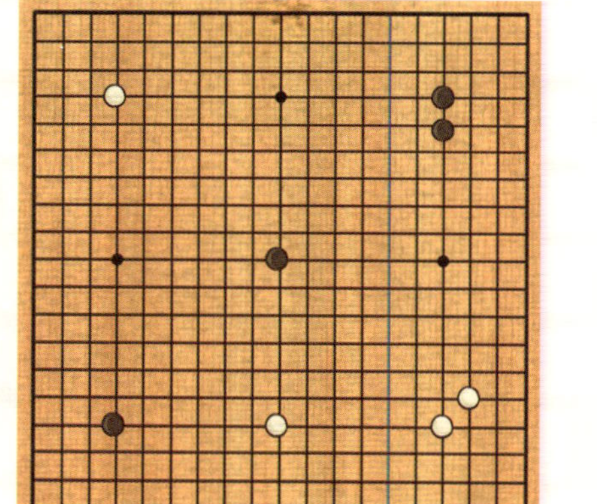

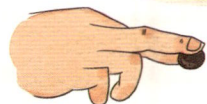

正确拿子手法

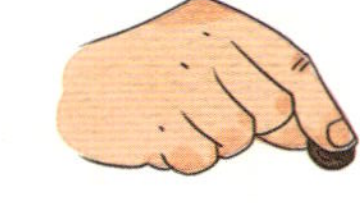

错误拿子手法

琴棋书画

古琴 一种古代乐器，琴声浑厚、悠远，流传着“高山流水觅知音”的佳话。

围棋 一种策略性二人棋类游戏，使用黑白二色棋子在方形棋盘上对弈。

中国书法 一种汉字书写艺术，同时具有文字内容的表意内涵和造字之美。

中国画 又称国画，用毛笔蘸着水、墨、彩在绢或宣纸上作画，内涵极其丰富。

丹朱学棋

上古时代，在蒲谷山有位世外高人叫蒲畴。他喜欢博弈，据说围棋就是他发明的。

一天，尧来到山中，求蒲畴指点如何管教自己顽劣的儿子丹朱。蒲畴让尧教丹朱学下围棋。尧听从了他的建议，回家和儿子对弈。丹朱悟性极好，很快弈术超群，无人能敌。尧于是领丹朱与蒲畴对弈。只几个回合，丹朱就败下阵来。蒲畴说：“博弈之道，贵乎严谨，高者在腹，中者在边，下者在角，此棋家之常法……”

丹朱从此修身养性，勤学苦练；围棋也在尧的倡导下，广为流传。

杂技

空中飞人、走钢丝、叠罗汉……这些杂技表演备受观众喜爱。作为一种综合性的表演艺术，杂技体现了表演者充沛的体能和高超的技巧。

每逢观看杂技表演，台下的观众都会屏息凝视，为演员们捏一把汗。在绚丽的舞台上，他们用灵巧的肢体诠释着一连串优美的动作，然而在掌声背后，却是演员们辛苦的训练和汗水，真可谓“台上一分钟，台下十年功”。

杂技

历史

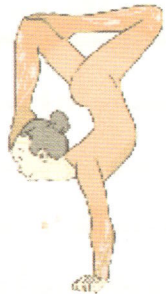

中国杂技历史悠久，在旧石器时代，它是以娱神为主的祭祀游乐形式；到了新石器时代末期，杂技才真正成为一门表演艺术。汉代是中国杂技的重要成长期，内容包罗万象，被称为“百戏”。

申报时间：2006/2008

申报类别：传统体育、游艺与杂技

申报地区：山东省（聊城杂技，宁津杂技）
河北省（吴桥杂技）
河南省（东北庄杂技）
……

现状

随着时代的发展，杂技艺术焕然一新，无论是技巧难度还是审美水平都有了很大提高。在扎实的基本功基础上，杂技把音乐、舞蹈等艺术形式融入其中，再配以绚丽的舞台效果和妆容服饰，带给观众一场视觉上的文化盛宴。

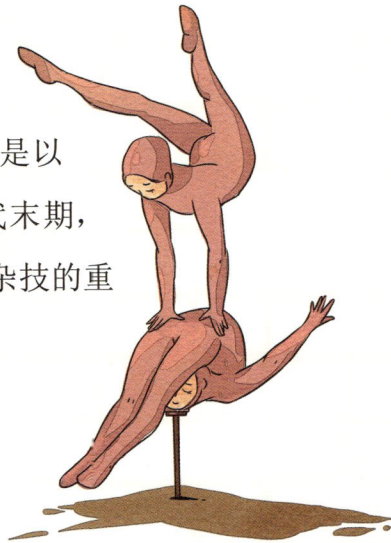

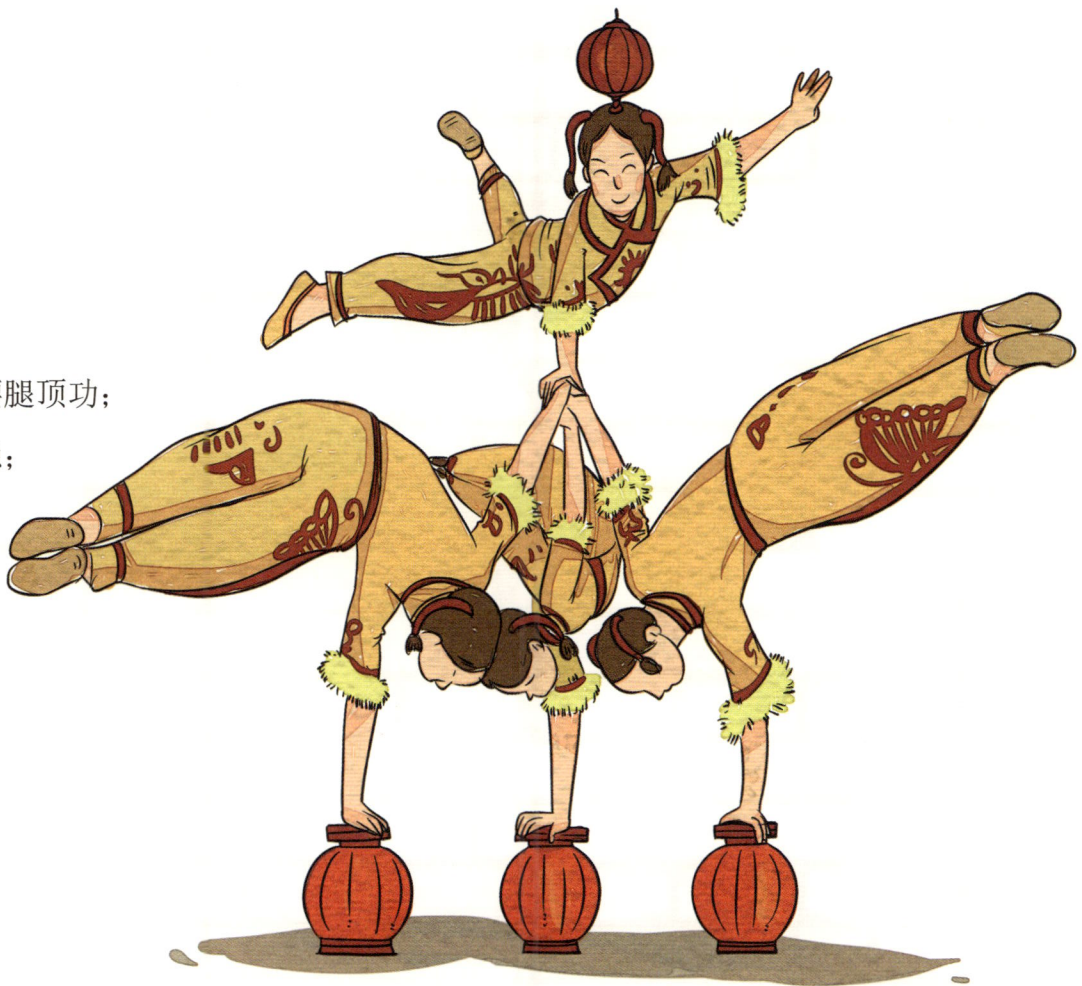

分类

形体杂技、器械杂技、高空杂技、水上杂技等。

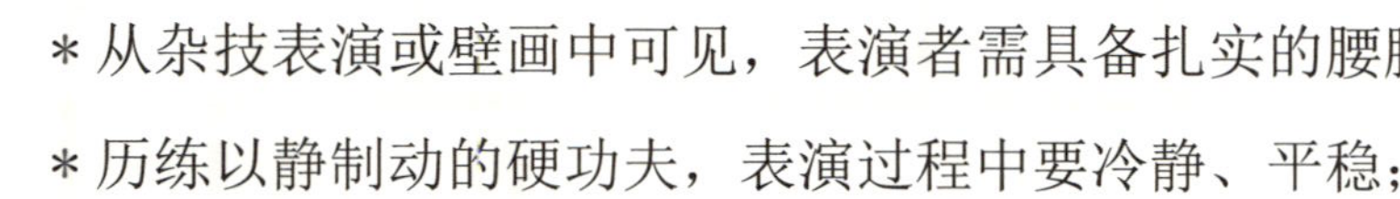

特点

* 从杂技表演或壁画中可见，表演者需具备扎实的腰腿顶功；
* 历练以静制动的硬功夫，表演过程中要冷静、平稳；
* 刚柔并济，软硬兼备，力量与技巧共存；
* 多种元素的融合，传达惊心动魄的视觉美感。

“柔术滚杯”惊艳巴黎

安徽省安庆市 “世纪之星”许梅花凭“柔术滚杯”惊艳巴黎，其高难度的肢体动作、力与美的巧妙结合让观众叹为观止，获得第 14 届法国巴黎“明日”杂技节最高奖——“法兰西共和国总统奖”。

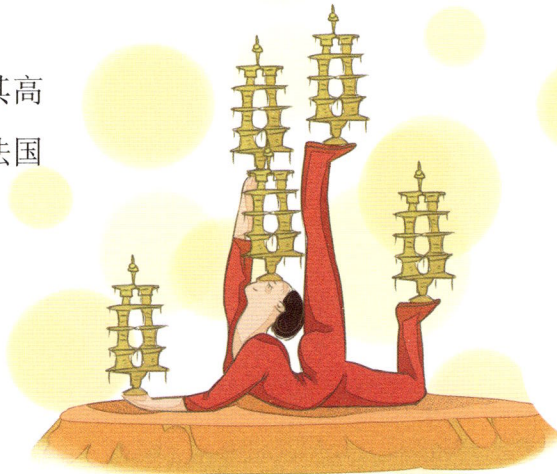

杂技之祖吕洞宾

传说吕洞宾二十多岁时曾两次进京殿试，均未上榜，一气之下便只身一人云游四海。他曾在江淮斩过蛟龙，岳阳楼上戏过仙鹤，客居在旅店里喝醉过酒……六十四岁时，他遇到八仙之一汉钟离，后隐居终南山炼丹修道，终修成正果。

大家都知道“狗咬吕洞宾——不识好人心”吧？可见在人们心目中吕洞宾是个大好人。道家正阳派称他为“纯阳祖师”，俗称“吕祖”。我国杂技艺人在开场白时常说：“天地无所求，拜吕祖，学套把戏闯江湖。”江湖上的杂技艺人，均供奉吕洞宾为本门的祖师爷。每年四月十四日他生日这天，大家都要为他设坛敬供，以示虔诚，请求保佑。

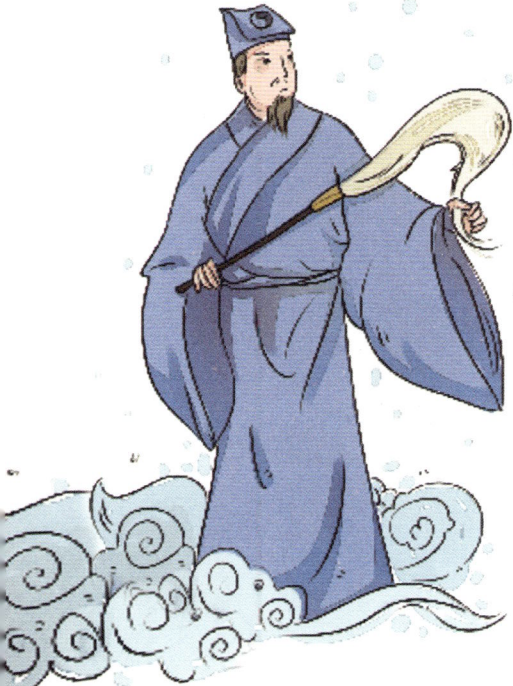